# 녹슨 우리와 솟대

朴晟助

녹슨 우리와 솟대

**발　행** | 2024년 1월 12일
**저　자** | 박성조
**펴낸이** | 한건희
**펴낸곳** | 주식회사 부크크
**출판사등록** | 2014.07.15.(제2014-16호)
**주　소** | 서울특별시 금천구 가산디지털1로 119 SK트윈타워 A동 305호
**전　화** | 1670-8316
**이메일** | info@bookk.co.kr

ISBN | 979-11-410-6488-4

www.bookk.co.kr

# 녹슨 우리와 솟대

박성조

차례

# 서문

# 지주목

# 1. 유적

유적 • 21
모과 • 23
철로에 올라 • 24
돼지우리 • 25
원시의 불 • 26

## 2. 청춘

청춘 • 29

허물 덮은 나비에게 바치는 시 • 30

투계 • 31

화병 속에 담긴 저의 갈망은 • 32

이리 떼 • 33

## 3. 배우의 미제 사건집

배우의 미제 사건집 • 37

59° 모퉁이 • 39

카라멜 • 40

십삼 홀 크로매틱 하모니카 • 41

천치들의 무덤 • 42

## 4. 황동 연골

황동 연골 • 47
우울을 보내며 • 50
낮 아래 밤 • 52
잠은 매정하여 • 54
불신자의 기도 • 56

## 5. 언덕을 세 번 넘어

언덕을 세 번 넘어 • 59
제가 될 글 • 61
수수께끼와 고양이 • 63
구두칼 • 64
패전이란 • 65

## 6. 떠나간 고독


떠나간 고독 • 69

풀려난 구속 • 71

빈곤한 욕망 • 73

베푸는 시기 • 74

다정한 혐오 • 76


## 7. 천체망원경


천체망원경 • 81

종이접기 • 83

재판장 • 84

객 • 85

그네들 세상 • 87

## 8. 영원한 밤

영원한 밤 • 91
아마도 첫 번째 가축 • 93
바람에 안겨 • 95
취기 • 97
여민 하늘 • 98

## 9. 발 디딘 날

발 디딘 날 • 103
그에 대하여 • 105

## 산새

## 자유와 타성에 대한 회고

# 서문

글이란 그리 거창한 것이 아니라, 그저 끄적이면 그뿐이고 또 그게 글이란 것이 아니냐. 그런데 요즘 들어 먼지 소복이 쌓인 책 한 권 읽고 고매한 체하는 놈들이 늘었더라. 안타까운 일이다. 뭇사람들은 그놈 욕하느라 바쁘지만 스스로 이르길 문화인이라 나름대로 배운 것들이 바로 책이 그를 망쳤다며 속이는 꼴이 사납고 또 속아 아예 책을 덮으려는 사람들이 이리 많으니 그저 무서울 따름이다. 책에 무슨 죄를 지울까. 읽히지 않은 책에 죄를 물으려거든 차라리 책을 당신께 팔지 못한 책장수를 탓하는 편이 나으리라.

그러므로 내 글에는 죄가 없다. 이디 빈뜩이는 곳이나 마땅히 재주랄 것도 없는 나지만 이 말인즉 가만 보다

느낀 바를 풀지 못하란 바도 없는 것이라 주저리 변명을 늘어놓는 것은 걱정의 산물이다. 당신께선 하늘과 그 아래 놓인 모든 것과 그를 부르는 노래를 사랑하신다. 녹슨 활자로 찍어 누른 희미한 단어들도 사랑하시겠지. 허나 당신께서 나마저 사랑하실까.

내 글에는 내가 산다. 거친 잔디가 무성한 언덕에 누워 밤하늘을 바라보는 내가 있을 것이고 그 언덕 너머에는 낮은 침상에 눕혀져 빛바래다 못해 누레진 병실의 천장을 바라보는 내가 있을 것이다. 어디든 내 흔적이 남지 않은 곳이 없고 내 눈길이 닿지 않은 곳이 없다. 직접 묶은 책이란 시집인 동시에 긴 수필이며 일기라 불러도 무방한 것이다.

나는 시인보다는 서른 즈음의 안도 타다오나 이타미 준 같은 유망한 건축사가 되고 싶다. 세상 한가운데 내 묘비를 깊게 박아 내가 이만큼이나 살았노라 자랑하련다. 예부터 많은 이들이 바라 왔으나 끝내 이루지 못한 영원에 대한 열망을 나 역시 마음 한구석에다 감추고

살던 것일까. 예술이 시대에 흐려져 가고 무덤도 사나운 바람에 깎여 모래밭이 될 것을 알면서도 내가 어제 시인으로서 살아 내일 비석에 새겨지고 그 앞에서 윌 비문을 오늘 이곳에 적는다. 내가 당신께 여쭈길 혹여 나를 기억하시오?

# 녹슨 우리와 솟대

# 지주목

너는 자라 내가 되리
내게 아니 닿은 하늘에 닿으리

게 뻗은 손 내리지 말고
목이 마르거든 굳게 버티어라

하늘을 움켜쥐어 마른 입술을 적시고
감히 네 열매를 탐할 이 없게

산 줄기에 죽은 가지를 대고
삼베를 찢어 끈 삼아 매듭짓다.

# 1

# 유적

## 유적

단상 처마에 이어 유리 기둥이 섰습니다
눈꺼풀에 맺힌 돋보기로 세상을 둘러볼까요

남녘의 동무가 울고
북녘의 동무도 울고
서녘의 선생이 울고
동녘은 볼 수 없습니다

깨어진 돋보기는 이 모두를 흐리게 만들어서
손을 베이기는 싫으니 차라리 소리를 더듬어 볼까요

그러나 귀에 닿은 것이라고는
차곡차곡 쌓이는 둥그스름한 벽돌, 그것이
기둥을 쌓는 소리여서

무너진 신전을 우뚝 세우고……

문명이 바로 서는 날에……

저는—

## 모과

나는 아직 릴케를 모른다

내가 사랑하는 시인

그가 사랑하는 시인

그렇게나 훌륭하다던데

나비 노니는 뜰에 올라

본드 냄새 채 가시지 않은

그의 전집을 끼고 풍경을 지워볼까

꺼뭇한 자국이 눌어붙은 곳이

마룻바닥인지 차가운 돌바닥인지

혹은 나비 노니는 뜰이었는지

나는 아직 알 길이 없으니

우물에 팔매질하는 사내를 따라가 보자.

## 철로에 올라

내일을 안다 해도 두려움이 없을 리가

팔은 두 개요 다리도 짝이 있으니

외톨박이 머리가 아쉬울 따름이다

살갗에 스민 고통의 배출을 위해

필요한 위로는 소마 삼 그램과 셰익스피어

으깨어진 문호의 비석을 연료로 삼아

열차야 달려라!

## 돼지우리

새끼 돼지 한 마리를 잡아
먹기 좋게 살을 찌우자

여물을 먹이고
사료를 먹이고
새치를 먹이고
동무를 먹이고
형님을 먹이고
어미를 먹이고
아직 젊은 내 아우는 뱉고
우리를 삼켜라

다 먹었느냐
다 먹었다면

이제 네 골수를 뽑아 먹거리.

## 원시의 불

가지를 뿌리만치 뻗은 교목에 가을이 오려면 멀었건만 단풍은 홍시처럼 둥지에 낳은 노을처럼 빼꾸기알 밀어내고 거멓게 탄 모이를 토해내오.

지푸라기 켜켜이 쌓아 만든 야트막한 오두막집에서 질그릇 빚던 이들과 이들 중 으뜸인 제사장이 저도 모르게 눈물 훔친 까닭은 하늘을 따라 운 것이 아니요 옆 놈과 그 옆의 옆 놈이 울길래 따라 운 것은 더욱이 아니오.

유난히 붉은 사막의 호수가 범람한 까닭은 폼페이의 눈이 내려 다홍 모래가 분홍 모래로 변하고 언덕 모서리의 모래가 골짝에 흐른 탓일 게외다.

제사장이 흥겨웁게 춤을 추자 고기 굽는 내음이 이리로 저리로 가까이 또 멀리 그리로 퍼지오.

바라옵건대 뼈는 삼키지 마오.

# 2

# 청춘

## 청춘

능금이 익는 날은 먼 훗날이라
차마 다 영글지 못한
이 어린 열매의 이름을
어느 건축사의 조형을 본떠
저도 청춘이라 짓겠습니다

우리의 살은 무쇠가 아니지마는
긁히고 까져도 녹이 슬지 아니하여
흘린 피를 몸에 찍어 두르고
빗방울에 흠뻑 젖으렵니다
그리해야 마땅하겠지요

도금을 깨고
다시 푸르러지기 위하여

## 허물 덮은 나비에게 바치는 시

나비 낳은 알 주워 기른
내 손등 기는 애벌레는 들으라

닭은 차 거북한 속 게워내고
은하수 들이켜 허한 속 달래는데
어째 가만있질 못하고 이파리만 짓씹느냐

조심하거라
가지에 매달 실 끊어질라.

## 투계

널찍한 관을 좁은 머리에 쓰고
뽐내지 못해 안달이 나
고개를 기우뚱, 갸우뚱대던 우리 대왕님은

제 머리에 씌워진 것보다 큼직한
더욱 널찍한 관을 쓴
이웃 나라 대왕님을 만났답니다.

저기 쓰러진 파리한 몸뚱어리가
우리 대왕님 몸뚱어린지
이웃 나라 대왕님 몸뚱어린지
알아맞히기 어려운 노릇이라

벽 너머에 사는 사람들은
부러지고 휘어진 관에 흐르는
영광의 루비를 섬기고 우러릅니다.

# 화병 속에 담긴 저의 갈망은

화병 속에 담긴 물이 적어
찬찬히 시들어가는 코스모스

내린 줄기는 쥐기 편히 꺾이어
목마름을 비워낼 수 없으니

저는 갈망합니다.

많은 비가 내려 집이 잠기고
작은 방에 담긴 물이 많아
제 안을 가득 채워 주기만을……

화병이 산산이 깨어지고
코스모스가 파도에 부서지더라도

저의 갈망은 변치 않을 테지요.

## 이리 떼

해가 저문 숲 깊숙한 곳에
캄캄한 털을 가진 이리 떼가
저를 잡아챌 듯합니다

그대가 저에게로 다가오신다면
저는 반갑다고 마중을 나와
앙상한 두 팔로 그대를 포옥
껴안아 드리겠습니다

그대의 깔쭉거리는 이빨에
제 팔이 베어 물리고
제 다리와 머리, 끝끝내
심장마저 씹혀 삼켜진다면

본디 제 것이었던 토막을
모두어 기워낸 다음

저는 그대의 뱃가죽 아래서
곤히 잠기려고 합니다.

# 3

# 배우의 미제 사건집

# 배우의 미제 사건집

출렁이는 반사판의 구겨진 주름골에 별 부스러기가 어린다.
엘이디와 점멸하는 스포트라이트,
반사판에 어린 조막만 한 동그라미 반사판과
거품을 걷어내고 청어를 건져 올리자.

쇠처럼 구운 쇠처럼 번쩍거리는 무딘 사각 조각을
축포에 담아 둥실거리는 무대 위에 쏘아 보내라.

따개비는 말라붙은 천일염은 떼어내려야 떼어낼수록
그 양이 줄지 않는 것이 애석할 따름이다.

봄이고 여름이고 가을이고 겨울이고
잡어고 허탕이고 허탕이고 허탕이고
시뻘건 벨벳 안라이자 묵은 땟자국은
임을 기다리던 수배자의 혈흔이고

허한 곳간 털어간 도둑 잡아야
떠나간 임도 돌아오시려나.

드디어 클라이막스ー
뭍에 내린 탐정이 한 개비 꼬나문 입 새로
잘못 내렸나 보오
교도소엔 왜 왔소.

그러자 조수가 환자에게
시름일랑 묻으시고 그만 누우세요.

희멀건 북엇국에 인 파문은 아가미로 숨 뱉은 탓이라
소금 알갱이 집어삼키고 침전하는 까닭은
내 맡은 역할에 몰입하기 위함과
벗겨내고픈 의무감이 전부다.

## 59° 모퉁이

약관을 갓 넘긴 날

유리 궁전 사이를 꺾어 들어가자 비친 내 모습이 누구를 닮아있는지는 아직 알 수 없다 고개를 꺾어 나아가야 할 곳을 향해서 나아가자 하늘 높은 줄 모르고 솟은 거울 벽을 지나 모퉁이에 다다르면 그곳에 한 그루의 가로수가 나를 반기고 서 있다 드문드문 세워진 은행나무는 벌거벗어 앙상하기만 하다 이파리로 제 몸을 가리려니 차마 다 가려지지 않는 것이 퍽 야릇하다 겨울 자작보다 비너스보다도 더 고귀하다 담쟁이 타넘은 콘크리트 벽 나는 그 금이 간 콘크리트처럼 사리라

타다오처럼
게릴라처럼

깨진 벽 틈으로 빛줄기가 뿌리를 내리는 날

## 카라멜

비닐 끈 돌려 풀어 나온 네모난 갑은
담뱃갑과 똑 닮은 모양입니다
네모난 갑 속 미끄덩히 코팅된 포장지에 둘러싸인
네모난 알알이 열하고 둘,
희게 뜬 손톱으로 긁듯이 까내어 입 속에 털어 넣었죠
달큰함에 넋 놓아
이등변 삼각형 직사각형 기하학무늬 새겨진 종잇장에도
우유 분내가 맡아지는 것만 같습니다
실은 그렇지 않은데도 말입니다
혀 위에서 굴리며 세로로 늘였다 가로로 늘였다
입천장에도 한 번 붙여 볼까요
날 선 타원을 씹으니
어금니가 시립니다.

# 십오 홀 크로매틱 하모니카

하모니카 손에 쥐어 입술에 대니
낯선 촉각은 먼 옛적이라 그런 것인지

두어 번 숨을 구멍에 불어넣자
르네상스ー 르네상스ー

세상이 한 번 무너졌던 그 시대로
스러지는 내 마음도 아파라.

네 것인지 내 것인지 알 수 없는
수다스러운 무형의 음표들

다 모두어 레버를 당기고
섯바닥 아래로 쉬이 보낸다.

## 천치들의 무덤

자네는 보았나
어디에 가서 무엇을 보았나

구름을 누비는 재색 비둘기의 배때길 보았나
두 눈 딱 감고 마흔여섯 걸음 더 나아가 보았나
마루에 걸터앉아 의자 위의 책을 읽어 보았나

무엇을 보았나
이런 천치를 보았나

그러는 자네는 보았나
무엇을 보았나

쇠비둘기 타고 백두산 등허리를 넘어 보았나
먼 이국 땅에 반 걸음 발자욱을 남겨 보았나

카페서 의자보다 키가 작은 탁상을 보았나

무엇을 보았나
이런 천치를 보았나

자네는 보았나
그래, 세상천지 바보 천치들의 무덤이다.

# 4

# 황동 연골

## 황동 연골

황동 녹여다 만든 나이 지긋한 경첩은
제 허리를 굽힐 때마다 신음을 내지르오

부지런한 그대들이 바삐 문지방 넘나드는
고된 한낮의 일과를 마치고 나면

시퍼렇게 멍이 든 지친 몸을 끌고서
새우잠 자려 태아처럼 몸을 웅크리오

간혹 선잠을 자야 할 때도 있지마는
괴롭히는 사람 없어 몽상할 수 있으니

괴롭지 않은 일이오
외려 퍽 즐겁지 아니하겠소

별과 이별하고 구름을 반길 아침이 오면
기지개 켜는 고통에 옅은 신음을

하늘로 흩어버리려던 꿈 사이에 끼워
보내려니 무거운지 바닥에 부닥치오

허나 다행인 일은, 아니
외려 다행이라 여기기에 어려운 일은

멍이 무른 뼈로 번지지 아니해
억지에 떠밀려 일을 해야 한다는 것이고

찾아오는 이마다 못마땅한 표정으로,
연민보다 경멸을 더욱 담은 두 눈으로

노려보니 보이는 내가
섭하였으나, 한심하였으나

낡아빠진 아무개에게 작은 바람이 있다면

수리공께서 방문하시어 나

그래, 마디마디에 기름칠하고
때 빼고 광낸 모습으로

그대들과 재회할 순간
나는 그 찰나를 바라고 있소.

# 우울을 보내며

우울아 멀리 가거라

내 너를 기른 시간이 산을 이루었으나
좁은 사기그릇에 산을 쌓으려다 보니
나는 우둔한 아틀라스가 아닌지라
지탱하기 버겁구나

그가 든 세상도 기울었는데 하물며
그보다도 우둔한 나라고 어련하겠느냐 우울아,
내 너를 쏟아버릴까 염려스럽다

그러니 우울아 듣거라
가거라
우울아 멀리 가거라
나를 떠나 멀리 가거라

고행을 떠나라는 뜻이 아니다
내 가진 것을 뚝 떼
네 소매를 가득 채워 줄 테니
허기지거든 씹어 달래라

남김없이 먹거라
부스러기라도 흘린 날에는
나 네가 그리워
어느 굶주린 남매처럼

숲길을 걸어가련다
너에게로 돌아오련다

떠난 이는 우울아, 너인데
어이하여 돌아오는 것은 나이고
길이 가파르고 험난한 이유는 또 무어냐!

## 낮 아래 밤

모포 아래에 별무리가 환합니다
넝쿨진 머리 뒤편까지 덮어씌운
어둠 새로 환한 별이 촘촘히 박히었습니다

시커먼 하늘에 수차례 파도가 이니
가람도 여러 갈래로 찢어지고
구부러져서 먼 길을 돌아 흘러야만 한답니다

측은하지 않은지요.
그러나 짓궂게도
모포 아래에 별무리가 환합니다

오래전에 아침이 왔건만
아직 버티고 있던 포근한 밤을
걷어내야 할 순간이 결국은 온 모양입니다

맑은 창에 비친 조명은 해보다 밝고

뜨이다 만 눈을 감으니 어둑하여

다시금 밤을 끌어와야 별을 보겠지요.

# 잠은 매정하여

잠이 저와 만나고 싶지 아니한 듯하여
고개를 돌리니 누인 머리 아래가
빼근한 것이 저를 불쾌함에 거칠게
휩싸이도록 만들어 버립니다

하품하고프지만
눈 속 눈을 감아 보려 노력했건만
시키는 녀석도 저이고
시키는 대로 따르지 아니하는 녀석,
녀석 또한 저이기에

답답한 마음 풀 길이 없어
대신 한숨이나 크게 쉬어 봅니다

아이들 재우기 위한 자장가로는
나른하니 어울릴 수 있겠으나
보고 배울까 염려되어 꺼려집니다

그들은 설움을 알기에는 너무 어리니

아아, 그것이 어제처럼 저를 부릅니다
오늘처럼 내일 떠날 바로 그것이

# 불신자의 기도

배곯는 일 없게 하여 주시고
헐뜯고 시기하는 이 없게 하여 주시고
땅이 메마르지 않게 하여 주시고
수확의 때를 다르지 않게 하여 주소서

타인 속에 자신이 있음을 알려 주시고
조각 속에 아무도 없음을 알려 주시고
배곯는 이의 기도가 헛되다 일러 주시고
헐뜯고 시기하는 일 없으리라 일러 주소서

그리한다면 드디어
나
당신 섬길 자격을 갖추리라.

# 5

# 언덕을 세 번 넘어

## 언덕을 세 번 넘어

높디높은 나무가 만든 그늘 새
따사로이 들어오는 햇빛 아래에서
새싹을 밟아가며 나아가는 어린 사내

작은 발이 흙을 짓밟고
여럿 살던 개울을 더럽히어
언덕에게 미움받아도
개의치 않고 나아갑니다

사내의 발에는 굳은살이 박이고
벌어진 살갗 새 피가 흐릅니다

사내는 목이 마릅니다
그러나 언덕은 사내가 미워
풀잎에 맺힌 이슬 한 방울조차
내어줄 생각이 없습니다

언덕 꼭대기에 다다르니 나타난
오르기 전에는 볼 수 없던
구름 아래의 가파른 언덕

저 위로 오르려면
이 아래로 내려가야 합니다

사내는 묵묵히 나아갑니다
조금은 상냥히 발을 내딛습니다
언덕 너머에 언덕이 없다 하여도
구름 위로 향하여

# 제가 될 글

산 시체를 보았습니다
죽은 것보다 못한 사람을
제 눈으로 똑똑히 보았습니다

피부는 주름지다 못해 썩어
울긋불긋 얼룩이 졌고

실오라기 하나 없는 머리는
백골에 코만 붙어 있으며

갈비뼈 밑에 숨은 마른 심장은
토막 난 생선이 뛰는 듯합니다

저는 그와 닮아갑니다
하루하루 썩어가며
악취를 지우려 몸을 씻습니다

옷으로 고름을 감춘 뒤
거울을 마주 보고
종이에 저를 적습니다.

## 수수께끼와 고양이

수수께끼의 풀이를 끄적대다
보고픈 답을 만날 수 없어
흩어버린 모래

문을 열고 집으로 돌아가려는데
잃어버린 열쇠

제 우둔함을 탓하던 이가
담장 위를 걷는 고양이를 보고
쌓아 올린 계단

자물쇠는 의미를 잃었으며
담장이 된 문과
의미를 잃은 담장 위에서
그를 할퀴는 고양이

# 구두칼

구두장이 가죽 자르는 칼,
둥근 날은 기름을 먹었는지
선 긋듯 가죽을 잘라냅니다
새 가죽보다 길이 든 가죽이
질기고 튼튼하다는 것을
제 아비에게 배운 구두장이가
못난 손에 비스듬히 쥔 칼을
기울이고 지그시 누릅니다
가죽을 자르고 이어 붙이니
헌것이 새것이 되었습니다
바닥을 보니 세모난 조각이
여럿 떨어져 있으나
그녀가 줍지 않는 까닭은
그들을 그들보다 먼저 태어난
그들의 크고 작은 형제에게
보내주기 위함입니다
부모는 자식을 떠나가기에

## 패전이란

얼굴을 가리는 투구를 쓴
감히 덤빌 이 없는
무적의 기사
역적의 모가지 가지러
출정했으나
부러진 창에 걸린 투구와
피로 가득한 탕에 빠진
시골뜨기의 머리
그리고
고삐를 바꿔 단 가축

# 6

# 떠나간 고독

## 떠나간 고독

어미 뱃속에서 나와 같이 자란
태어나자 모습을 감춰버린 너,
고독아 너를 찾는다

절연과 실연이 무섭게
내 마음 문을 부수고 들어와
작고 약한 나를 괴롭힐 때

지켜보기만 하다
그들이 지루해 떠나자
비로소 쓰러진 내 곁에 누워있는 너,
고독은 어디에 갔나

너 나에게 오라
나 너를 찾는다

이기적이고 자애로운 위로여
네 형제를 돌봐다오

병들고 지친 청년에게
세월이 먼저 찾아오기 전에
너 나를 데리고 외딴곳,
네가 숨었던 곳으로 떠나다오.

## 풀려난 구속

고리에 고리를 더 엮어
사슬을 길게 늘어뜨리자

족쇄 달고도 못 갈 곳 없을 때까지
고리에 고리를 엮어나가자

대장간 굴뚝보다 높고 긴
사슬을 만들자

무겁고 단단하며 날이 선
무쇠 도끼를 두드리자

도끼는 자루로 바꾸고
자루는 고리로 바꾸자

만면에 흡족한 미소를 띠며
족쇄를 달고 물 길으러 나가자

달궈진 무쇠를 식히러
사슬을 따라 돌아가자.

# 빈곤한 욕망

굶주린 배를 움켜쥔 거지에게 인간의 존엄함은 아무런 도움이 되지 못한다 천금을 주고도 살 수 없다는 하루의 절반을 구걸하는 데 바친 그에게는 거의 버리다시피 건네받은 빛바랜 몇 푼의 동전이 더욱 소중하다 그는 겨울바람에서 그를 구해줄 술이라 부르기도 민망한 싸구려 술을 사기 위해 주머니에 손을 넣는다 그의 해진 바지에는 주머니가 없다 빈 병에는 수돗물을 채워 넣는다 물을 술이라 한다 그가 마신 술도 그러하다 노래를 부르며 거리를 어지럽히는 그를 보며 당신이 말한다
나는 그와 무척 닮았다

나도 말한다
당신은 그와 무척 닮았다.

## 베푸는 시기

비가 우박과 섞여 내립니다
저는 손님에게 방을 내어드리고
손님은 호의를 거절치 않습니다

낡고 지저분한 방이지만
하룻밤 보내기 어려울까요
마룻바닥에 쌓인 먼지 위에
헐값 주고 구한 융단을 얹어봅니다

본디 제 방이었던 손님방에서
부드러운 온기가 슬며시 새어 들어옵니다
손님은 잠에 들었을까요

날이 밝으면
낮을 배웅하는 밤처럼

손님이 다시 찾아오리라 확신하며
마당까지 함께 걸어갈 것입니다.

## 다정한 혐오

나는 너를 안다
전부는 아닐지라도
이젠 내가 너보다
너를 더 알게 되었다

나는 너의 고독을 알고
이래야만 했다던 이유도 알고
이럴 수밖에 없었다던 이유도 안다

그러나 너는 날 모른다
또 알고 싶어 하지도 않는다

수다스러운 너는 너밖에 모르지만
그조차 나보다도 모른다

따라서 나는 너를 품는다

네가 너의 고독을 잊고

나를 알기를 소망하며

# 7

# 천체망원경

## 천체망원경

왼편에는

별을 사랑하는 소녀가 있었습니다
별은 이내 사라져 버리고 말았습니다
별을 사랑하는 소녀가 있었습니다

별은 영영 사라져 버리고 말았습니다
별을 그리워하는 소녀만이 남았습니다.

오른편에는

별을 사랑하는 소년이 있었습니다
별은 수줍게 제 눈을 깜박였습니다
별을 사랑하는 소년이 있었습니다

별은 차갑게 제 눈을 깜박였습니다
별을 사랑한 적 없는 소년만이 남았습니다.

## 내 맞은편에는

별을 사랑하는 사람들이 있었습니다
별은 그들에게서 버림받았습니다
별을 사랑하는 사람들이 있었습니다

별은 우리에게서 버림받았습니다
별을 볼 수 없는 사람들만이 남았습니다.

## 종이접기

접고접고접고접어 무엇이 되었습니까
접고접고접고접어 비행기가 되었습니다

접고접고접고접어 무엇이 되었습니까
접고접고접고접어 학이 되었습니다

접고접고접고접어 무엇이 되었습니까
접고접고접고접어 풍선이 되었습니다

접고접고접고접어 무엇이 되었습니까
접고접고접고접어 너덜너덜한 종이 쪼가리가
되었습니다.

## 재판장

너의 죄는 무엇이냐 여쭈신다면
태어난 것이 죄라 하겠습니다

너의 죄는 무엇이냐 여쭈신다면
살아온 것이 죄라 하겠습니다

너의 죄는 무엇이냐 여쭈신다면
죽을 것이 죄라 하겠습니다

너의 죄는 무엇이냐 여쭈신다면
모든 것이 죄라 하겠습니다

나의 죄가 무엇인지 대답했으니
무죄 방면 땅땅—

# 객

아스팔트 끓는 무더운 여름날에
집으로 돌아가는 길은 멀기만 하다

햇살이 따가와 그늘에 숨어보아도
적신 옷가지는 마를 기미가 없다

느러트린 혓바닥에서 또옥 똑,
느러트린 혓바닥에서 또옥 똑
떨어지는 방울마다 이것 좀 열어주시오 하며
지하대장군 댁 대문을 두드린다

갈라진 틈으로 나를 흘겨보고는
비렁뱅이가 여기에는 어이 왔소 하며
냉차 한 잔 내주지 않으니 매정한 일이다

눈이 매운 까닭이 설움인지,
땀에 녹아 스며든 소금인지
아무개는 모른다

아스팔트 끓는 무더운 여름날에
집으로 돌아가는 길은 멀기만 하다.

## 그네들 세상

왜가리 부리 닫고 자갈땅 쪼았으나
노랑 끌 무뎌지고 드는 건 물뿐이라
밋밋한 흙 내음만이 밥숟갈에 올랐다

작살이 무서워서 돌 뒤로 도망했나
내 모습 부끄럽고 멋없어 숨은 게다
날개를 퍼덕여 본들 네 하늘론 못 날아

구름 낀 개울에서 노닐던 그네들아
네 깃을 내 깃으로 삼은들 날겠느냐
깃 대신 비늘 두르면 허덕이다 물 켠다

하늘서 헤엄하고 개울서 활개 치다
바람을 다 이루고 시름도 다 잊은 날
뜨거라 떨어지거라 윤슬 타고 떠가라

# 8

# 영원한 밤

## 영원한 밤

나란히 선 벽이 복도를 만들고
엇갈린 벽이 만나 모퉁이를 만듭니다

비스듬히 기운 벽이 그늘을 만들고
기운 벽이 쓰러져 자리를 만듭니다

벽 너머 정원에 피어나듯이 선
아담하고 낮은 벽에다가 이름을 새깁시다

요즘은 벽 하나로 집을 만든다지요
정원에 떨어진 해처럼 둥근 집을

또 그곳에 둥근 창을 내면
저는 영원한 밤을 만들 수 있습니다

새벽을 잊은 밤에 노을빛 달이 뜨면

밝아진 하늘에다가 이름을 새깁시다.

## 아마도 첫 번째 가축

신이 어미의 품에서 태어나기 전
오로지 구름보다 높이 자리한 것이
구름 아래를 환히 비추던 시절
굶주림을 피해 굴 밖으로 나온
추위에 살을 문대던 남녀 여럿이
고기 잡으러 물가로 간다
고기 잡으러 산으로 간다
작은 짐승보단 작은 짐승 먹는
큰 짐승이 낫고
큰 짐승보단 큰 짐승 먹는
더 큰 짐승이 낫다
가시 돋은 머리와 등 껍데기 쓴
사납고 겁 많은 녀석을 잡으려다
밟혀 죽은 이들을 헤아릴 수 없으나
배불리 먹게 된 그들이 본 것은

굴 앞에서 풀을 뜯던 짐승과

말뚝에 묶여 허덕이던 굶주림이라

## 바람에 안겨

바람에 안겨 잠듭니다
먼바다에 핀 소금꽃 향기를
이불 삼아 덮으렵니다

고향 생각에 잠이 달아납니다
어머니와 아버지, 제 아우가
저를 기다리고 있습니다

조막만 한 편지지를 꺼내어
저도 그립습니다 한 줄 적으렵니다

저는 젖은 모래를 밟고 서
버려진 유리병에 종이를 담아
파도가 높이 솟기를 기다립니다

높은 파도에 실려 간 제 말이

바람에 안겨 잠들지 않았으면 합니다.

## 취기

만나기로 한 시간이 다 되었는데
아니 오신 임은 어디에 계시는지

찾아뵈려도 임 계신 곳 모르고
절름발이 다리가 가냘파
돌아가기에도 힘에 부치니

의자에 내리앉은 낙엽을 털어내고
가만히 앉아 임을 기다립니다

제가 남은 여기에 그대 없으나
임이 계신 그곳에 제가 없으니
어찌 임을 원망하겠습니까

임은 잔에 맺힌 서이고
미풍에 흔들려 일그러진 상인데

## 여민 하늘

당신이 내보이기 싫은 게 있다 하면
도자기 가슴에다 받은 게 넘쳐나면
차라리
하늘에다가 감추는 게 나아요

마음은 요란하니 둑 쌓아 가둬놔도
너울이 덮쳐오니 버티질 못하지요
당연히
마르던 기억 다 젖어서 번져요

체념코 서랍장의 구석에 밀어 넣어
자물쇠 잠가두니 꺼내기 번거로워
반듯이
액자에 끼워 문 가운데 걸어요

그러니 감추려면 하늘에 감춰놔요
우리는 굳게 잠근 금고의 쇠를 찾고
산림이
여민 하늘을 바라보지 않아요

# 9

# 발 디딘 날

## 발 디딘 날

무너져야 할 땅이 태연히 굳어있어
휘젓던 팔 모래 위를 짚고 일어나려니
곧았던 다리 하나가 무너졌더라

어디 둘 곳 없어 나르고만 있던 짐이
기어코 나를 제 아래서 신음케 하였나

내 손을 떠나간 그것이 자리를 찾아
헤매고 돌아와 다시금 헤매지마는

나는 그를 가엾게 여기지 않으리라
아주 떠나가라며 비웃을 일이다

헤매고 돌아와 나를 짓깔아뭉갤까
무너진 다리에 썩은 목재를 덧붙였으나
언뜻 살펴도 아슬코 아찔하기만 하여

못 뚜드리고 구멍 난 뼈대에 덧바르게
내 가죽으로 빚은 그릇 속 소와 돼지의 살을 잇다.

## 그에 대하여

돌 깎는 재주를 가졌으나
제 비석에 글 한 줄 새기지 못한
오래 알고 지내던 사내가 있었다

한때 머저리들의 우상이자
깊이 묻히기를 소망했던 그는
가난한 아내의 손으로 파내어졌다

모자란 껍데기를 얼기설기 기워내 만든
조잡하고 흉측한 박제가 되어서

눈꺼풀이 감기지 않아 잠을 잘 수도 없고
앞을 바라볼 수도 없는 눈이여

든 빌을 딛고 앞으로 나아가려 해도
굳어 떨어지지 않는 가련한 다리여

쏟아버린 장기여
비어버린 심장이여
떠나버린 넋이여

저 머저리들에게 보이기 전에
본디 그의 것이 아니었던 날개를 달자.

## 산새

새장으로 날아든 새가

주목 아가 피 묻은 부리로 문을 열고

창살 새로 뻗은 가지에 내리앉아

찬 이슬에 젖은 깃을 말쑥이 다듬는다

새장을 휘감은 큼직한 구렁이가

원체 둘이라 거짓부렁하는 긴 혀로

하늘이 그립지 않으냐 속삭이지마는

새는 창살 새로 유유히 날아가더라.

## 자유와 타성에 대한 회고

자유라, 이 얼마나 설운 울림입니까. 단군 이래 첫 번째 죄수가 지어낸 말은 푸른 가슴팍에다 그동안 아니 머무시던 임의 이름을 자수로 새기었습니다. 허나 인제 그만 임을 풀어줍시다. 밖에 임을 그리는 이들이 있고 임이 죄가 없으신데 가둔 것은 우리의 업이요, 덕이 아닌 까닭입니다.

임 가신 날 문득 임이 보고파 삼베로 짠 옷에 수놓아진 임의 이름을 목청껏 불러보았지마는 제가 찾던 임은 이미 먼 데에 계시나 봅니다. 혹여 임을 다시 뵈어 문살 안에 가두었다 하여도 정작 밖에 남은 우리는 임을 못 뵈게 될 터라 자유롭고 싶단 제 말은 한낱 울음 섞인 푸념으로 남을 뿐입니다.

어쩌면 자유를 찾는다는 게 미련한 짓일지도 모르겠습니다. 머물지 않으시려는 임을 어찌 가두겠습니까. 그럼 첫 번째 죄수라도 다시 불러다 시키시렵니까. 차라리 임의 이름을 잊읍시다. 아예 잊어버리면 구태여 찾을 수고를 덜 테니 자유를 잊읍시다. 임의 옷가지와 첫 번째 죄수를 불에 태운 뒤에 남은 재는 거두어 어지러이 굽어가는 파도에 실어 보내야겠습니다.

하여 보내려니 또 그게 말처럼 간단한 일은 아니라, 곰곰이 생각하면 당장 하룻밤 새 쓰라린 기억마저 족히 백 년은 지우지 못할 흉을 남기는데 천 년 동안 쓰인 이름을 제 머리에서 지운다니 허황하기가 소문보다 더합니다. 이는 제 살점을 도려내겠다는 것인데―

관두었습니다. 저는 이제 임을 찾지 아니하렵니다. 본디 머물지 않음은 자연히 머무는 것과 별반 다르지 않으므로 임이 이미 제 곁에 계심을 비로소 깨달았습니다. 임은 새의 모습으로, 낙엽의 모습으로, 시내의 모습으로 언제나 저와 함께하셨으니 저는 그만 헤맬 의미를 잃어버리고 말았습니다.

저는 자유롭기에 더욱 자유로워지기를 원치 않습니다. 계신 임 찾으러 멀리 간답시고 성한 다리를 꺾어 그 대신에 바퀴나 거추장스러운 쇠붙이를 다는 게 무슨 자유고, 새로워지는 법이랍니까. 인대 갈아 낀 다리로는 임

계신 데에 못 간답니까. 임은 가까이 계십니다.

모순이지요. 낡은 것을 새것으로 만드는 것은 허락되었으나 갓 난 것을 옛것으로 만들어서는 아니 되는 것입니까. 저는 미지의 길을 개척하기보다 덧없이 스러진 이들의 길을 이어 걷고픕니다. 우리는 평행하지도 엇갈리지도 않고 단지 그의 길 위에 제 길이 놓여 있었기에 따라 걸으렵니다.

걸어요. 걸읍시다. 어디까지 걸을까요. 언젠가 그가 닿지 못한 곳에 다다라 제 이름자 위에 그의 것도 새기겠습니다. 설령 그대 보시기에 제가 무덤에 박힐 비석의 글귀를 파고 있더라도 저는 이어 파겠습니다. 이가 이정표로 남을 것입니다.